Dessins
MASASHI ASAKI
scénario
YÛMA ANDÔ

DARK
Kana

D0610158

PSYCHOMETRER EIJI 7

CHOMETRER

DARK
kana

FILE
7

SOMMAIRE

Affaire 5

PSYCHOMETRER EIJI

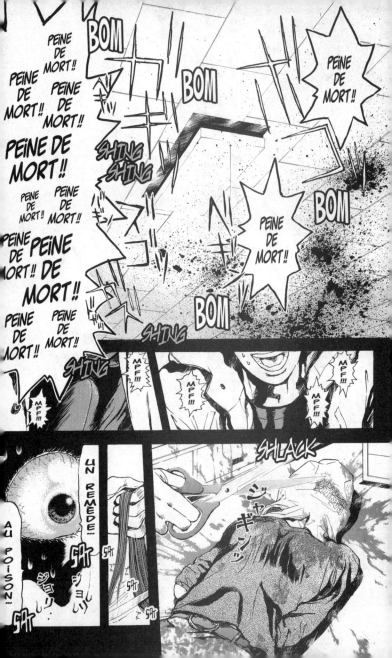

SHLACK

ジャギッ

SHLACK

ジャギッ

AU POISON...

UN REMÈDE...

ジャギ...

SHLACK

POURQUOI TU DIS ÇA, SHOKICHI ?

QUE... QUEL GÂCHIS !

APÉRI

QUOI ?!

DANS CE CAS, IL Y A ENCORE DES CHANCES QUE...

RASSURE-MOI : VOUS NE L'AVEZ PAS ENCORE FAIT, HEIN ?

BRR

BRR

BRR

BRR

Love Co

MAIS AUX PROCHAINES VACANCES DE PRINTEMPS, ON PART EN VOYAGE ENSEMBLE.

EUH, NON...

C'EST TA COPINE ?!

TU ES SÉRIEUX TAKASHI ?

SHOKICHI

ARRÊTE, TU ME FAIS PEUR !

ET TU VEUX FAIRE ÇA À CE MOMENT-LÀ !?

RÉPONDS!!!

tilt

QUOI ?

tilt

tilt

HEIN?!

SLAT

MON CŒUR VA EXPLOSER

TU AVAIS L'AIR DE TENIR VRAIMENT À ELLE, ALORS JE NE T'AI RIEN DIT MAIS...

...!

AÏE! AÏE! AÏE!

OUPS

TÔRU, TA CLOPE ...!

OH

catch

LES BOULES, HEIN ?

JUN...

JE NE PEUX PAS LE CROIRE ...

SLAT

tac

tac

!

JE CROIS QUE ÇA SUFFIT, NON ?

HEIN ?

VLAM

ZOOM

TAKA-SHI, SERS-MOI !

OUI, EIJI.

EIJI !! ÇA VA PAS, NON ?

C'ÉTAIT DONC ÇA...

EN QUELQUE SORTE, JE ME SUIS FAIT AVOIR...

...

QUELLE HEURE IL EST ?

GLOU GLOU

AH...

MER-DE LE MAL DE TRON-CHE...

ZZZZ

ZZZZ

HUM...

CLAC

JUSTICE FRAPPE ENCORE. UNE EX-ACTRICE DE PORNO, MEMBRE D'UNE TROUPE DE THÉÂTRE, VICTIME DU TUEUR.

QUE VOUS DIRE ? APRÈS LES COLLÉGIENNES, C'EST UNE ACTRICE DE FILMS PORNOGRAPHIQUES...

EN S'EXPOSANT DANS UN FILM PORNOGRAPHIQUE...

....

IL EST BIEN ÉVIDENT QU'ON NE PEUT PAS EXCUSER LE CRIME ET QUE LA PLUS À PLAINDRE RESTE LA VICTIME MAIS...

À PROPOS DE CETTE AFFAIRE, NOUS RECEVONS YASUO YANAGIMOTO, SPÉCIALISTE...

Clic

HUM ?

EPIS AU RÉVEIL

... QUE TOUT LE MONDE PEUT SE PROCURER...

APPEARA

CE N'EST PAS VRAI...

....?!

C'EST LÀ QUE COMMENCE LE PROBLÈME...

VLAM

CLAC

TAP

HEIN ...?

HUM ...

IL S'AGIT D'UNE SORTE DE PROVO-CATION POUR LES DÉSE-QUILI-BRÉS...

TÔRU ?

DÉGAGEZ!!!

EN FAIT, JE M'EN DOU-TAIS...

UN FILM PORNO ?

MAIS VOUS SAVEZ... À LA TÉLÉ, ILS ONT DIT QUE...

UNE SI GEN-TILLE FILLE...

AS-SAS-SI-NÉE ...?

Brouaha Brouaha

CATCH

DÉGA-GEZ DE LÀ !

TA GUEULE !!!

L'ACCÈS N'EST PAS AUTO-RISÉ AU PUBLIC ...

HOP LÀ !

ALLEZ !!!

SHIMA!!!

LAISSEZ-LE PASSER, TAMAKI. JE LE CONNAIS...

COUIC COUIC

!

TÔRU?

TAP

SHIMA...

TANT PIS... AH BON.

tac

OUI...

LA VICTIME TRAVAILLAIT DANS LE MÊME MAGASIN QUE TOI?

HEIN?

NON, PAS DU TOUT.

C'ÉTAIT TA PETITE COPINE?

AT-TENDS UNE SE-CON-DE...

ON NE SAIT PAS ENCORE AVEC PRÉCISION À QUELLE HEURE MAIS...

L'HEURE PRÉSUMÉE DU CRIME REMONTE À HIER SOIR.

QUAND JUN A-T-ELLE ÉTÉ TUÉE?

SHIMA.

LE MEURTRIER EST...

MAIS SI TU APPRENDS QUELQUE CHOSE, J'AIMERAIS QUE TU ME PRÉVIENNES...

BON...

...

18 HEURES...

10?

SPAT

ELLE A ÉTÉ FRAPPÉE VIOLEMMENT ET SA MONTRE S'EST CASSÉE.

ELLE S'EST ARRÊTÉE SUR 18 H 10.

JUSTE APRÈS...

IL EST À PEINE 6 HEURES...

SHUUT

HEIN?

ÉTAIT À
L'INTÉRIEUR
...

À CET
INSTANT
PRÉCIS,
CET
ENFOIRÉ
...

tûûûût

ET
JUN...

ALLÔ?

EIJI
?

JE
SUIS
JUSTE-
MENT
AVEC
TÔRU
...

ÉTAIT
ENCORE...

IL
EST
AVEC
TOI?

PASSE-
LE-MOI...
OH! TU
M'ÉCOU-
TES?

...

TÔRU
...?

...!?
....!

QUE VEUX-TU DIRE ?

IL FAUT À TOUT PRIX RETROUVER "JUSTICE" AVANT TÔRU SINON...

...ÇA VA TRÈS MAL TOURNER !

QU'IL VA CHERCHER "JUSTICE" DE SON CÔTÉ ?

C'EST POUR ÇA QU'IL A DISPARU SANS RIEN DIRE...

IL EST PEUT-ÊTRE EN POSSESSION D'UN INDICE QUI POURRAIT LE METTRE SUR LA PISTE DE "JUSTICE" !

LUI, IL EN EST CAPABLE !

MAIS ENFIN, COMMENT POURRAIT-IL LE RETROUVER... ?

ALORS POUR-QUOI... ?

MAIS TÔRU ET JUN NE SORTAIENT PAS ENSEMBLE POURTANT...

DES TYPES QUI CONNAISSENT LA VILLE PAR CŒUR !

D'UN CLAQUE-MENT DE DOIGTS, IL EST CAPABLE DE RAMEUTER PLUSIEURS DIZAINES DE PERSONNES.

VOUS M'APPELEZ IMMÉDIATEMENT SUR MON PORTABLE !!!

DÈS QUE VOUS METTEZ LA MAIN SUR UN TYPE QUI A ACHETÉ UN MOUCHOIR PAREIL...

PSYCHOMETRER EIJI

COMPRIS?!!

IL FAUT TROUVER LE MEURTRIER...

AVANT TÔRU !!

ELLE N'A PAS ÉTÉ ASSEZ MÉFIANTE.

QUAND JE PENSE QUE LENA S'EST FAIT TUER...

DE NOS JOURS, SI ON VEUT S'AMUSER, IL Y A ÇA !

ぴっ5 SLAT ん

SI ELLE N'ÉTAIT PAS ALLÉE TRAÎNER DANS UN "TELEKURA"* POUR SE TROUVER UN VIEUX...

OU C'EST VRA

CE N'EST PAS FAUX

BON. QUI SERA NOTRE APPÂT AUJOURD'HUI ?

HUM—

C'EST SANS RISQUE.

OUI ! AU MOINS, DANS LES SALLES DE JEU, LES VIEUX NE VIENNENT PAS.

!

...

HÉ HÉ

*Telekura est l'abréviation de "TELEPHONE CLUB", lieu où les rencontres se font par téléphone, d'une table à l'autre, moyennant finance.

DIS, MÉGUMI...

TU AS DES PROJETS POUR AUJOURD'HUI ?

DEUX HEURES À ATTENDRE APRÈS LA FIN DES COURS... QU'EST-CE QUE JE VAIS BIEN POUVOIR FAIRE...?

ON SE DONNE RENDEZ-VOUS À 6 HEURES ?

... M'A DIT QU'IL SORTAIT AVEC SES COPAINS... EUX ET JE NE SAIS PLUS QUI.

TAKASHI...

...

PAS AVANT 5H30... POURQUOI ?

COMME TU ES TRÈS MIGNONNE, J'AVAIS ENVIE D'AVOIR UNE PHOTO DE NOUS DEUX.

MERCI, MÉGUMI ! J'EN FAIS LA COLLECTION...

BRRRR

PHOTO PETA BOX

Biiiiiip...

SCRT

tilt ビシッ

HEIN ?

TU PEUX M'EXPLI- QUER POUR- QUOI TU ES SUR TON 31 AUJOUR- D'HUI ?

SI J'AP- PRENDS AUTRE CHOSE, JE VIEN- DRAI TE LE DIRE.

MER- CI.

POL L'INS- TANT C'EST TOU CE QU JE SAIS

AU FAIT...

CLAC

OH ! DÉJÀ 5 H 30 ? JE DOIS FILER !

JE VOIS : UNE FILLE !

!

HE ! HE ! HE !

IL SE TROUVE QUE SA COPINE EST DANS LA MÊME ÉCOLE QUE LA COLLÉ- GIENNE QUI S'EST FAIT ASSAS- SINER.

IL A TROUVÉ QUEL- QUES INFOS.

AH, BON...

EN FAIT...

ET TOI, SHIMA, DE TON CÔTÉ ?

BON, JE VOUS LAISSE.

...?

A EL BO B

DES SQUARE DOLL. SI.

CE GARÇON CE N'ES PAS LE FRÈRE D'UNE CHAN- TEUSE.

REGARDE CETTE PHOTO.

POS
SIBL
MAIS

ALORS QUE TOUTE LA PIÈCE EST SENS DESSUS DESSOUS, DANS L'ENTRÉE, LES CHAUSSURES SONT BIEN RANGÉES.

CE N'EST PAS TOUT!

OUI! ET DANS CE CAS, LES CHAUSSURES AURAIENT PROBABLE-MENT ÉTÉ DÉPLACÉES!

C'EST VRAI QUE C'EST BIZARRE!

IL N'Y AVAIT AUCUNE TRACE DE CHAUS-SURES DANS L'APPAR-TEMENT.

DE PLUS...

SI QUELQU'UN AVAIT ESSAYÉ DE PÉNÉTRER DE FORCE DANS L'APPARTE-MENT EN PROFITANT DE L'OUVER-TURE DE LA PORTE...

ELLE S'Y SERAIT SÛREMENT OPPOSÉE DANS L'ENTRÉE.

QU'EST-CE QUE ...?

AUTRE-MENT DIT, LA VICTIME...

VOUS NE CO PREN PAS

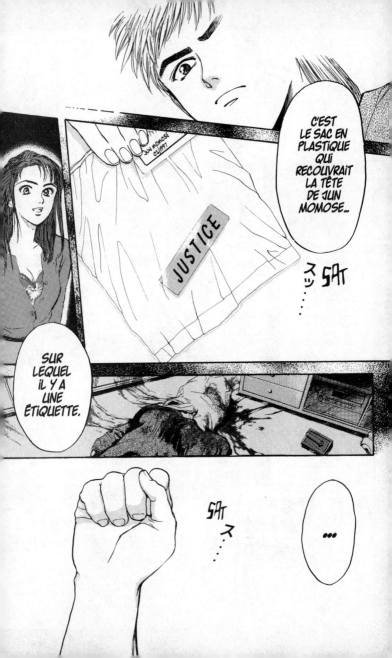

!?

TIENS...

CE GRAND ARBRE, ET CE BÂTIMENT...

ET CETTE HORLOGE...

HEIN ?

OUI... ÇA Y RESSEMBLAIT EN TOUT CAS.

ON DIRAIT UNE ÉCOLE, NON ?

QU'EST-CE QUE ÇA VEUT DIRE ?

IL Y A LE LYCÉE DEIJI DANS LA MÉMOIRE DU MEURTRIER ...?!

MAIS...

C'EST NOTRE LYCÉE, NON ?

... tilt

T'ES SÛR?!

N... NON !!!

JE TE POSE UNE QUESTION : AS-TU VU QUELQU'UN ACHETER UN MOUCHOIR COMME CELUI-CI RÉCEMMENT ?!

AÏE!

J'EN AI BIEN L'IMPRES- SION.

PERSONNE N'A ACHETÉ DE MOU- CHOIRS COMME ÇA ?

SOLDES DE L'ANNÉE

BANQUE
BOULANGERE
ÉPICERIE

PARKING

AVENUE PRINCIPALE

IMMEUBLE SKY

SUPER MARCHE

POSTE

CAFÉ ACE

BON...

CLAC

ALORS?

SAÏ...

TÔRU

LÀ NON PLUS, RIEN.

tûûût

ブルルル..

OUAIS ...?

PSYCHOMETRER EIJI
VOUS L'AVEZ TROU-VE?
CLAC
CLAC
VRAIMENT?
CE TYPE...
OÙ EST-IL ?
GRAT
ボリ
JE VAIS JUGER CETTE TRAINÉE!
SAT
ス
APPELEZ-MOI!
TELEKURA
!
Telephon Club

OUI !!!!
JE SUIS SÛRE QUE TAKASHI VA ENCORE ÊTRE EN RETARD...
ELLE EST LÀ !!
"JUSTICE", LE TUEUR SANGUINAIRE 6

ELLES BALANCENT LEURS FESSES POUR ATTIRER LES HOMMES...

DES CATINS QUI EMPOISONNENT NOTRE MONDE !!!

TOUT ÇA POUR DE L'ARGENT --

OUCHER ET SE FAIRE PAYER!

...

QUELLE PERVERSITE SE CACHE DERRIÈRE CE PETIT MINOIS?!

CRAT

JE NE VOIS PAS D'AUTRE ALTERNATIVE QU'UNE EXECUTION !!

SI JEUNE ET DEJA SI PERVERSE --

GAT ふ、ふ...

!

...

BRR
ハL

BRR
フル

BRR
フル

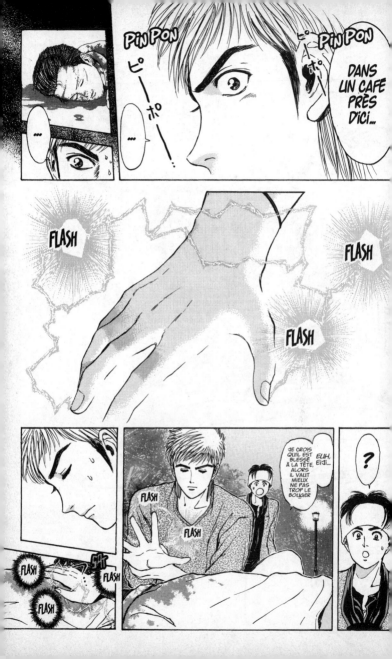

LE COUPABLE A PRIS LA COPINE DE TAKASHI SUR SON DOS ET S'EST ENFONCÉ DANS LE BOIS.

SHIMA...

J'AI FAIT UNE PSYCHOMÉTRIE SUR JIN, CELUI QUI A ÉTÉ AGRESSÉ.

HEIN ?

...

...ALORS QU'AUJOUR-D'HUI IL FAIT PLUTÔT DOUX...

IL PORTAIT UN LONG MANTEAU, ÉPAIS...

MAIS...

NON...

TU AS PU VOIR À QUOI IL RESSEMBLAIT ? SES VÊTEMENTS ?

LE MEURTRIER SERAIT...

NON...

!!

UN LONG MANTEAU ÉPAIS ?!

QUI PEUT PORTER CELA POUR UNE AUTRE RAISON QUE POUR SE PROTÉGER DU FROID... ?

DANS CE CAS, COMMENT PEUX-TU SAVOIR QU'IL EST ICI ?

NON, PAS EXACTEMENT...

SHIMA ! VOUS AVEZ TROUVÉ QUI EST LE MEURTRIER ?!

YOSUKE QUI EST EN RETARD

L'HEURE DU RENDEZ-VOUS QU'ELLE AVAIT DONNÉ À TAKASHI NE REMONTE PAS À SI LONGTEMPS.

QUOI QU'IL EN SOIT, LA PRIORITÉ POUR L'INSTANT, C'EST DE RETROUVER LA COPINE DE TAKASHI.

SHIMA !!!

EN M'APPUYANT SUR T PSYCHOMÉTRI ET...

... SUR LE PROFIL QUE J'AI ÉTABLI, C'EST LA SEULE CONCLUSION POSSIBLE.

MAIS OÙ L'A-T-IL... ?

OUI...

... ALORS ELLE EST PEUT-ÊTRE ENCORE EN VIE.

SI TU PENSES QUE LE CRIMINEL EST ICI...

...?

DANS LA VISION QUE J'AI EUE, JE LE VOYAIS FRANCHIR LA BARRIÈRE DE L'ENTRÉE DU BOIS AVEC LA FILLE SUR LE DOS.

PROBABLEMENT AU FOND DU PARC.

EIJI...

SHIMA, UN DE CES JOURS, TU VAS TE FAIRE VIRER.

ON VERRA BIEN À CE MOMENT-LÀ.

...

SANS COMPTER QU'IL Y A DES FLICS À TOUS LES COINS DE RUE ICI. IL NE FAUT PAS SE RATER...

ON N'EST PAS ENCORE SÛRS QUE C'EST VRAIMENT LUI LE MEURTRIER.

...

QU'EST-CE QU'ON FAIT, TÔRU ?

C'EST BIEN CE QU'ON PENSAIT : TOUT CE REMUE-MÉNAGE...

...C'EST À CAUSE DE CE TYPE, "JUSTICE" !

TÔRU !!!

OUAIS ?...

QUOI ?

NON, EN FAIT, C'EST...

AH BON ? EN-CORE UNE FILLE QUI S'EST FAIT AVOIR ?

UN JITTE*!?

CE TYPE A UN JITTE!

MPF! MPF!

MPF! MPF! MPF!

MPF!!!

*Arme défensive en forme de crochet dont se servaient les officiers de la police japonaise à l'époque d'Edo.

DANS MA VISION, IL Y AVAIT QUELQUE CHOSE QUI RESSEMBLAIT À UN DIAPASON. EN RÉALITÉ, C'ÉTAIT UN JITTE.

AU-CUN DOU-TE!

MPF!!!

L'ARME POURRAIT ÊTRE UNE BARRE MÉTALLIQUE DE 2 OU 3 CM D'ÉPAISSEUR.

FLASH

RDIT

SI LE MEURTRIER EST DANS LE PARC, ALORS...?!

AU-TRE-MENT DIT...

キイン

...?!

FLASH

"JUSTICE", LE TUEUR SANGUINAIRE 8

EST PROBABLEMENT EN RÉALITÉ UNE BALLE DE PISTOLET ET SA DOUILLE !

LE TUBE DE ROUGE À LÈVRES QU'A VU EIJI...

OUI.

VOUS PENSEZ VRAIMENT QUE C'EST ÇA ?

... LES POLICIERS QUI ÉTAIENT PRÉSENTS SUR LES LIEUX !

AUTREMENT DIT, IL ÉTAIT PARMI...

C'EST PROBABLEMENT AU MOMENT DE L'AFFAIRE DES CHAMPIGNONS QUE LE MEURTRIER L'A VUE !

QUANT À L'ÉCOLE...

IL N'Y AURAIT RIEN DE SURPRENANT À CE QUE MÊME UNE JEUNE FILLE TRÈS PRUDENTE LE LAISSE ENTRER CHEZ ELLE SANS SE MÉFIER !

S'IL A SA PLAQUE SUR LUI, QU'IL SOIT EN UNIFORME OU EN CIVIL...

AH...

VUS DE CETTE MANIÈRE, TOUS LES ÉLÉMENTS EN NOTRE POSSESSION CONCORDENT.

CE QUI JUSTIFIERAIT LA FRÉQUENTATION QUOTIDIENNE DES CONVENIENCES STORES !

DE PLUS, LES POLICIERS ONT UN RYTHME DE VIE TRÈS DÉRÉGLÉ...

AH...

LÂCHE !!!
SLAT

LÂCHE

!!

LÂ-CHE ÇA !

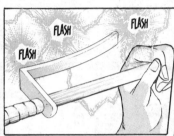

FLASH
FLASH
FLASH

CRAT

VER-MINE !

VER...

VER-MINE !

CRAT CRAT

!?

SOUS MA PEAU...

QUE... QU'EST-CE QUE C'EST ?

crit
crit

CRIT

ÇA ME GRATTE...

CRAT
CRAT CRAT
CRAT

C'EST INSUPPOR-TABLE...

!?

FLASH

"JUSTICE", LE TUEUR SANGUINAIRE ⑨

TÔRU...

JE PEUX TE POSER UNE QUESTION ?

OÙ AS-TU TIRÉ ?

...?

DANS LA TÊTE. UNE BALLE.

QUOI ?

NE VOUS EN FAITES PAS, JE N'AI PAS L'INTENTION DE M'ENFUIR...

TOUTES LES ARMES DES GARDIENS DE LA PAIX POSSÈDENT UNE SÉCURITÉ : LA PREMIÈRE BALLE DU BARILLET EST TOUJOURS À BLANC.

CERTAINS NE METTENT MÊME PAS DE BALLE DANS LE PREMIER LOGEMENT.

HEIN ?

OUF !!!

...

CLANG

ET A JUSTE PERDU CONNAIS-SANCE.

IL A CRU QU'IL ALLAIT VRAI-MENT MOU-RIR...

HEIN ?

MAIS ALORS, LUI...?

CLING

•••

SÉRIEUX ?

FFF !

FFF !

HE ...

FFF !

HE HE...

HE ...

OUPS

PFFF... PFFF... PFFF...

POURQUOI TU RIS, CRÉTIN ?!

HA! HA! HA ...!!

J'EN AI MAL AUX CÔTES!

TAP TAP TAP

HE...

CRUTCH

HA! HA! HA!

NORMAL NON...!

SSS

COMMENT ÇA SE PASSE DE TON CÔTÉ ? OÙ ES-TU ? RÉPONDS!

CRUTCH CRUTCH

TAMAKI! ICI L'OFFICIER YAMAMOTO!

!

JE VIENS D'ARRÊTER NOTRE TUEUR EN SÉRIE, "JUSTICE".

ENVOYEZ DES RENFORTS. JE SUIS À...

JE VAIS TE TUER, EIJI!

HA! HA! HA!

AVEC UNE BALLE À BLANC!

ICI L'INSPECTEUR SHIMA DE LA PREMIÈRE BRIGADE.

PARDON ?

LYCÉENNE 2

EXAC-TEMENT. UN PEU COMME ELIX !

LYCÉEN 2   LYCÉEN 1

LYCÉENNE 1

BIEN PARLÉ !

LYCÉENNE 2

MOI, JE CROIS PLUTÔT QUE LA CAPTURE DU TUEUR VOUS RASSURE PARCE QUE VOUS ALLEZ POUVOIR VOUS REMETTRE EN VENTE À PRIX SOLDE !

LYCÉEN 1

IL AVAIT POURTANT L'AIR D'UN TYPE BIEN. 32 ANS, CÉLIBATAIRE...

MOI, JE SUIS SÛRE QUE C'EST UN HOMME QUI N'AVAIT AUCUN SUCCÈS AUPRÈS DES FEMMES ET DU COUP, IL LES HAÏSSAIT.

TU A APPRI LA NOU VELLE C'ÉTAI UN POLI CIER

OUI. J'AR-RIVE PAS À Y CROIRE !

ALORS, TÔRU ? ÇA T'A FAIT QUOI D'IMAGINER QUE TU IRAIS EN TAULE ?

QUOI ?

Bla-Bla

REPÈTE UN PEU !

ÇA ME DONNE ENCORE PLUS DE REGRETS DE N'AVOIR JAMAIS RENCON-TRÉ CETTE JUN.

MAIS, TÔRU... LE FAIT QUE TU AIES ÉTÉ PRÊT À ALLER JUSQUE-LÀ...

IL N'Y AVAIT ABSOLU-MENT RIEN ENTRE ELLE ET MOI.

JE VOUS L'AI DÉJÀ DIT...

BAH, J'AI RATÉ MON COUP... C'EST DOMMA-GE...

TOI, TU AGIS TOU-JOURS SANS RÉFLÉ-CHIR, HEIN ?

TU ES MAL PLACÉ POUR DIRE ÇA !

ARRÊTE DE TE LA JOUER !

MOI ?

CRE-TIN !

...

IL SEMBLE QU'IL PRENAIT DIVERSES DROGUES RÉGULIÈREMENT.

OUI. C'EST UN POLICIER COMME MOI ET C'EST REGRETTABLE, MAIS...

DES AMPHÉTAMINES ?

LORSQUE JE L'AI TOUCHÉ, J'AI EU COMME UNE HALLUCINATION.

BEN...

JE COMPRENDS MIEUX...

C'ÉTAIT COMME SI DES TAS D'INSECTES RAMPANTS ME COURAIENT SOUS LA PEAU!

JE VOUS RACONTE PAS LE BAD TRIP!

PARDON...?

LES PREMIÈRES FOIS QU'ILS TOUCHENT À LA DROGUE, ILS ONT DES MONTÉES DE SURACTIVITÉ MAIS...

LES RETOURS DE SENSATION SONT DE PLUS EN PLUS FORTS ET LA CHUTE EST D'AUTANT PLUS RUDE.

PLUS ILS EN CONSOMMENT, PLUS ILS ONT DU MAL À REDESCENDRE DE LEUR TRIP.

C'EST UN CAS TYPIQUE QUE L'ON RENCONTRE CHEZ LES DROGUÉS.

GLOUPS

DES VISIONS DE DESTRUCTION, DES VOIX, TOUTES SORTES D'HALLUCINATIONS QUI LE PLONGENT DANS UN ÉTAT PROCHE DE L'ENFER.

IL PEUT MÊME ALORS SOUFFRIR D'HALLUCINATIONS.

ENSUITE, TOUT LE CORPS EST SOUMIS À DES SAIGNEMENTS, DES PERTES DE POILS ET L'INDIVIDU COMMENCE À AVOIR UNE ATTITUDE INHABITUELLE.

PERSONNE NE FERAIT ÇA PARMI MES POTES.

LES YAKUZAS PEUT-ÊTRE...

OUAIS, MAIS DE LÀ À TOUCHER AUX AMPHÈTS, IL FAUT ÊTRE CON...

CE SONT LES VISIONS QUI SONT LES PLUS TERRIFIANTES.

JE PEUX PAS LE DIRE TROP FORT NON PLUS...

EUH... BEN...

TOI, TU DOIS AU MOINS EN AVOIR ENTENDU PARLER PAR DES PERSONNES QUI EN PRENNENT, NON ?

ET LES ACIDES ?

ELLES PEUVENT CAUSER DES DOMMAGES À L'INDIVIDU LUI-MÊME MAIS AUSSI À SON ENTOURAGE PAR DES ACCÈS DE VIOLENCE POUVANT ALLER JUSQU'AU MEURTRE. C'EST UN DES TRÈS GROS DANGERS DE LA DROGUE.

TU NE LE SAVAIS PAS ?

SÉRIEUX ?!

LES ACIDES SONT UN AUTRE TYPE DE DROGUE MAIS PROCURENT EXACTEMENT LES MÊMES EFFETS.

LSD...

ACIDE...

CRACK...

BEN...

EUH...

VOUS AVEZ CHOISI ?

AUTANT DE NOMS DE DROGUES QUI SONNENT BIEN MAIS QUI CIRCULENT ET INFESTENT TOUTE LA VILLE.

IL A CERTAINEMENT COMMENCÉ SANS VRAIMENT PENSER À MAL.

TAMAKI, LE GARDIEN DE LA PAIX QUI A ÉTÉ ARRÊTÉ, ÉTAIT À L'ORIGINE QUELQU'UN DE SÉRIEUX, APPRÉCIÉ DE SES COLLÈGUES.

"JUSTICE

UN GARDIEN DE LA PAIX, TUEUR EN SÉRIE AU NOM DE LA JUSTICE

HIROSHI TAMAKI (32 ANS)

UN ÉTAT MENTAL INSTABLE

COMMENT UN HOMME AUSSI SÉRIEUX PEUT-IL BASCULER DANS LE MEURTRE ?

MAIS...

IL Y AVAIT DES IMAGES DE SON PÈRE LUI OFFRANT UN JITTE ET D'AUTRES DE SA MÈRE DANS UN LIT AVEC UN AUTRE HOMME.

DANS LES VISIONS QUE J'AI EUES LORSQUE JE L'AI TOUCHÉ...

C'EST ÇA QU'ON APPELLE UN TRAUMATISME ?

OUI.

CELA EXPLIQUE POURQUOI IL SE SERVAIT D'UN JITTE POUR ACCOMPLIR SES ACTES CRIMINELS.

ALORS ÇA VIENT DE LÀ !

!

IL EST FACILE D'IMAGINER QU'UN ENFANT QUI VOIT SA MÈRE DANS UN LIT AVEC UN HOMME QUI N'EST PAS SON PÈRE SUBIT UN TRÈS GROS CHOC PSYCHOLOGIQUE.

L'ACTE SEXUEL DEVIENT ALORS POUR LUI L'EXPRESSION DU "MAL".

LE MEURTRE NE DEVENAIT QU'UN ACTE DE DROIT ACCOMPLI POUR PUNIR TOUT COMPORTEMENT SEXUEL "IRRÉGULIER".

DANS L'ESPRIT DE "JUSTICE", INDIVIDU DÉSÉQUILIBRÉ PAR L'ABSORPTION DE SUBSTANCES CHIMIQUES...

EH! OH! ET LE MEURTRE C'EST "MAL" PEUT-ÊTRE?

OUI...

C'EST AU FOND CE QU'IL Y A DE PLUS EFFRAYANT DANS CETTE AFFAIRE...

APRÈS TOUT, UN TEL TRAUMATISME N'EST PAS SI SURPRENANT.

UN CHOC PAREI SUR UN ENFAN...

MAIS QU'UN POLICIER SÉRIEUX DEVIENNE UN TUEUR EN SÉRIE.

HIROSHI TAMAKI (32 ANS)

MAIS JE TE CONNAIS, TU ES ARRIVÉ EN RETARD, TOI AUSSI, NON ?

PAR-DON.

ÉLIH... 5 MINUTES À PEINE !

ÇA FAIT UN QUART D'HEURE QUE JE T'ATTENDS !

DÉ-SO-LÉE !

C'EST HORRIBLE...

tac コン

EH, MEGU, TU NE DOIS PAS PEN-SER ÇA...

じゃ

TADAN ん

TIENS.

QUOI !?

VU QUE CHAQUE FOIS QUE JE T'ATTENDS, IL M'ARRIVE QUELQUE CHOSE, J'AI PRÉFÉRÉ TE FAIRE ATTENDRE.

ON DIRAIT QU'ON EST MA-RIÉS !

J'AI PENSÉ QUE CE SERAIT BIEN.

CE SONT TES AMIS APRÈS TOUT !

HUM HUM

OH ! C'EST GENTIL DE PENSER À ÉLIX.

POUR EIJI ET TÔRU !

C'EST C'EST QUO...

POU... MO...

LE FAIT DE FINIR SA VIE EN PRISON, ÇA FAIT RÉFLÉCHIR...

IL SEMBLAIT N'AVOIR AUCUNE HÉSITA-TION.

EN GÉNÉRAL, DANS LES FILMS OU LES SÉRIES POLICIÈRES, LE PER-SONNAGE EST TOUJOURS ENVAHI PAR UN DOUTE, NON ?

C'ÉTAIT TOUT DE MÊME IMPRES-SIONNANT: TÔRU TENANT LE PISTOLET À BOUT DE BRAS...

OUI...

TU EN SERAIS CAPABLE, TOI AUSSI, TAKASHI ?

C'EST POUR CETTE FILLE, JUN, QU'IL A FAIT ÇA ?

POURTANT, CELA NE LE PERTURBAIT PAS PLUS QUE S'IL AVAIT TENU UN PISTOLET EN PLAS-TIQUE.

APPA-REM-MENT, OUI.

SI C'ÉTAIT POUR MOI ?

?

EN TEMPS NORMAL, IL EST TRÈS GENTIL ET PLUTÔT MARRANT MAIS SI ON LE CHERCHE ET QU'IL S'ÉNERVE ...

TÔRU, IL EST COMME ÇA.

tac

OUI.
C'EST
CERTAIN.

C'EST
TOI QUI
ME DIS
ÇA ?!

TU AS
ENCORE
MÛRI !

PAR-
DON...
ÇA T'A
VEXÉ
?

shuuu

PAR-
DON...
IL EST
UN PEU
DUR,
C'EST
VRAI.

PFFF...
VRAI-
MENT
!!

EMI !
IL EST
TROP
CUIT, CET
ŒUF !

J'AI
L'IMPRESSION
DE MANGER
UNE GOMME !

CE QUE C'EST QUE CETTE "CONFITURE BLANCHE".

BEUAH

AU FAIT, EIJI, PERSONNE NE VEUT M'EXPLIQUER...

T'EXPLIQUER QUOI ?

TAC

C'EST PAS JUSTE !!!

ALLEZ ! TU PEUX BIEN ME DIRE CE QUE C'EST.

tac tac

AH NON ! DANS 10 ANS ON VERRA, PEUT-ÊTRE.

EH ! OH ! JE MANGE, MOI !

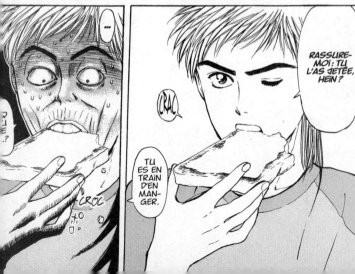

...

RIE ?

CRAC

RASSURE-MOI : TU L'AS JETÉE, HEIN ?

TU ES EN TRAIN D'EN MANGER.

CROC

VOUS QUI PENSEZ QUE "JUSTICE" EST UN CAS EXTRÊME DE PERVERSITÉ SEXUELLE...

SACHEZ QUE DANS VOTRE ENTOURAGE, IL EXISTE ENCORE BIEN D'AUTRES CAS DE CE GENRE.

C'EST CE QUE NOUS ALLONS VOIR AUJOURD'HUI.

PSYCHOMETRER EIJI

HEIN ? LA CONFITURE BLANCHE ? TU VEUX PARLER DE CETTE FAMEUSE CONFITURE BLANCHE, HEIN ?

COMMENT ÇA "FAMEUSE" ? TU SAIS CE QUE C'EST, RIKA ?

BAH... LA RUMEUR A FAIT LE TOUR DE L'ÉCOLE.

Intermède 8 STALKER EN PLEIN RÊVE

SHIMA PORTE DES DESSOUS SEXY COMME ÇA.

J'Y PENSE...

...

ET CELLI-CI ?

ZA

...

DOM DOM DOM DOM DOM DOM DOM DOM

...

TAP

J'ACHÈTE ÇA!

J'AI TOUT ACHE-TÉ...

FIJJJJJ

TRÈS BIEN.

ET ÇA! ET ÇA AUSSI !!

LES POUBELLES D'EMI...

RAMASSÉES DEPUIS 6 MOIS..

VÊTEMENTS

TEE-SHIRT

BROSSE À DENTS

PYJAMA

PELUCHE

CANET-TES VIDES

JUPE

CANET-TES VIDES

CHAUSSURES

PHOTOS PRISES EN SECRET

BONBONS

ELLE N'A RIEN REMAR-QUÉ, J'ESPÈ-RE...

ZIP

SLAT

TAP

SUT

UNE CONFITURE BLANCHE, C'ÉTAIT PEUT-ÊTRE UN PEU BIZARRE...

ELLE DOIT AVOIR DU GOÛT POURTANT...

EMI, MON TRÉSOR.

JE ME DEMANDE SI TU AS MANGÉ LA CONFITURE QUE JE T'AI OFFERTE...?

SLAT SLAT

HEIN?

PHARMACIE

PHARMACIE

AH... AVANT D'ALLER À MES COURS, JE VAIS TRIER MES TRÉSORS DU JOUR...

PHARMACIE

EMI... EMI PORTE DES TRUCS COMME ÇA ?

...

DES... DES... DES DESSOUS !!!

SEXY EN PLUS !

FUIT
FUIT
FUIT
FUIT
FUIT
FUIT

AVEC CES SOUS-VÊTEMENTS SUR ELLE !!

J'AIMERAIS TANT LA VOIR...

tac

...

TAP

JE ME SUIS DONNÉ TANT DE MAL POUR AVOIR UN DOUBLE DE CETTE CLÉ.

BRRR
BRRR
BRRR

LE MOMENT DE M'EN SERVIR EST ENFIN VENU !

MAISON EIJI

MFF !!!

TAP TAP

MPF !
MPF !
MPF !

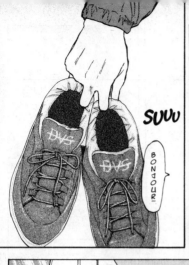

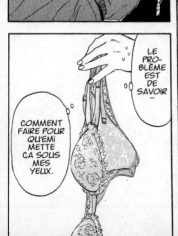

IL SUFFIT QUE...

... JE LES METTE SUR LE DESSUS, EN ÉVIDENCE.

OUI ! J'AI UNE IDÉE !

tac

tac

C'EST LÀ QU'ELLE RANGE SES DESSOUS.

JE VAIS EN PROFITER POUR PRENDRE QUELQUES CULOTTES QU'ELLE A BIEN UTILISÉES.

ZAT

ZAT

...

Hé Hé Hé Hé

ET...

ELLE VA RENTRER DE L'ÉCOLE, VOUDRA CHANGER DE SOUS-VÊTEMENTS...

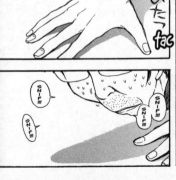

tac

SNIF !!!

SNIF !!!

SNIF !!!

SNIF !!!

HUM...?

*Longues chaussettes blanches sans talon faisant partie de l'uniforme des écolières japonaises.

CLOUPS

...

...

QUEL PLAISIR!

AAAH!!

Crunch Crunch
Crunch
Crunch
Crunch
Crunch

Crunch
Crunch

Crunch
Crunch

C'EST BON!

MAIS...

C'EST!?

CLAC
KARA...
ZAT

JE N'AI PLUS QU'À ME CACHER DANS SON PLACARD ET ATTENDRE QU'ELLE SE CHANGE...

ZUT!!!

AH

JE NE DOIS PAS PERDRE DE TEMPS!

HUM?

ALLEZ, "AAAH"...

BEN QUOI? TU RÉCUPÈRES CE QUI T'APPARTIENT, C'EST TOUT.

A... ARRÊTE

À LA CUILLÈRE, COMME ÇA.

EMI! APPORTE-MOI DU PAIN!

JE... L'ANNÉE PROCHAINE, JE VAIS FAIRE PARTIE DE L'ÉLITE ET ENTRER À L'UNIVERSITÉ DE TOKYO (EN DROIT)...

NON!!!

TU PRÉFÈRES AVEC DU PAIN?

LA FERME! MANGE.

JE TE TRAÎNE AU TRIBUNAL!

SI... SI TU N'ARRÊTES PAS, JE TE FAIS UN PROCÈS!!!

SLAT

Intermède 9

ON ORDINARY LIFE

ALORS TA PETITE SŒUR JOUE LES LOLITAS ET S'ACHÈTE DES DESSOUS SEXY...?

OUAIS. ET PAS QU'UN PEU : UN T BACK, CEUX QUI NE CACHENT PRESQUE RIEN !

クラ tac

....!!

TU IMAGINES ? ELLE AVAIT MÊME MIS UN PORTE-JARRETELLES COMME CELUI-CI.

J'AI D'ABORD PENSÉ À L'ENGUEULER MAIS FINALEMENT JE ME SUIS DIT QUE ÇA RISQUAIT AU CONTRAIRE DE LA FAIRE MAL TOURNER...

Y'A QU'À VOIR CE QUE JE SUIS DEVENU, MOI.

ELLE A PEUT-ÊTRE UN PETIT COPAIN.

BEN...

TU T'INQUIÈTES POUR ELLE?

AAAAÏE!!!

「しょぼしょぼ」

GLOU GLOU GLOU

C'EST CHAUD!!

AH BON?!

"LE GRAND FRÈRE PROTECTEUR"...

HEIN ?!

ON EST TOUJOURS PERSUADÉ QUE ÇA N'ARRIVE QU'AUX AUTRES MAIS...

SHUUU

AVEC CE HISTOIRE DE COLLÉGIENNES QUI SE PROSTITUENT...

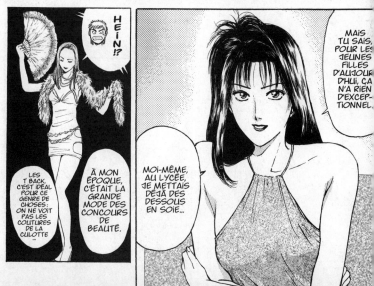

HEIN!?

LES T BACK, C'EST IDÉAL POUR CE GENRE DE CHOSES : ON NE VOIT PAS LES COUTURES DE LA CULOTTE...

À MON ÉPOQUE, C'ÉTAIT LA GRANDE MODE DES CONCOURS DE BEAUTÉ.

MOI-MÊME, AU LYCÉE, JE METTAIS DÉJÀ DES DESSOUS EN SOIE...

MAIS TU SAIS, POUR LES JEUNES FILLES D'AUJOURD'HUI, ÇA N'A RIEN D'EXCEPTIONNEL.

Y'EN A D'AUTRES ?

slap

HE!

FINALEMENT, JE N'AI PAS BEAUCOUP CHANGÉ. J'AI PEUT-ÊTRE UN PEU PLUS DE POITRINE, C'EST TOUT.

OH! ET CELLE-LÀ!

FIIIIT! EN UNIFORME D'ÉCOLIÈRE!

J'ÉTAIS VACHEMENT JEUNE.

TADAN

OOOH !!!

EN ROBE DE SOIRÉE À PAILLETTES ET STRASS !?

TIENS! REGARDE CELLES-LÀ.

C'EST VRAI QU'À L'ÉPOQUE, J'AVAIS UNE PEAU D'ANGE...

MAINTENANT QUE TU LE DIS...

DIS DONC, TU N'AURAIS PAS FAIT UN PEU TROP D'EXCÈS DE TOUTE SORTE DEPUIS?

TON VISAGE N'A PLUS RIEN À VOIR.

CE QUE TU A CHANGÉ QUAND MÊME

NE ME DIS PAS QUE C'EST TOI? HA! HA! HA! HA!

C'EST QUI, CE BOUDIN ?

QU'EST-CE QUE TU ME FAIS DIRE, ENFIN !?

OH...!

HEIN?

HEIN?

AKAGI!?

JE VIENS DE VOIR AKAGI...

QU'EST-CE QUE TU FAISAIS AVEC AKAGI SUR UNE MÊME PHOTO ?!

NON, CE N'EST PAS LA SENSATION QUE J'AI EUE.

IL ÉTAIT INSPECTEUR LUI AUSSI, IL N'Y A RIEN D'ANORMAL À CE QU'ON SE TROUVE PAR HASARD SUR LA MÊME PHOTO.

QU'EST-CE QUE ÇA VEUT DIRE ?!

TU AS FAIT UNE PSY-CHO-MÉ-TRIE ?

ÇA ME REVIENT : LORS DE L'AFFAIRE DES SQUARE DOLL, J'AI PARLÉ D'AKAGI...*

AKAGI ? DE LA DÉLIN-QUAN-CE JUVÉNILE ?

J'AI EU UN SENTI-MENT ÉTRANGE À CE MOMENT-LÀ.

...

PAR AILLEURS, TU ÉTAIS BEAUCOUP PLUS JEUNE... PEUT-ÊTRE LORSQUE TU ÉTAIS À LA FAC, NON ?

VOUS AVIE[...] L'AIR DE BIE[...] VOUS ENTENDRE[...] IL Y AVAIT[...] AUSSI UN[...] AUTRE TYP[...] VOUS SORTIEZ SOUVENT ENSEMBLE[...]

*cf. Eiji 4

TU LE CONNAIS-SAIS, HEIN ?

BIEN AVANT DE DEVENIR FLIC...

...

UN AMI PROCHE... PROCHE DE MON COPAIN DE L'ÉPOQUE.

...

NON, LOIN DE LÀ...

NE ME DIS PAS QUE C'ÉTAIT TON PETIT AMI...?

ALORS ?

CLAP

ALBUM

OUI.

LE GRAND TYPE QUI ÉTAIT AUSSI SUR LA PHOTO ?

!

À L'UNIVERSITÉ AUSSI, ILS ÉTAIENT ENSEMBLE ET ON LES CONSIDÉRAIT COMME L'ÉLITE DE LA FACULTÉ.

ILS AVAIENT INTÉGRÉ LA BRIGADE AU MÊME MOMENT.

KYŌ... SU... TAC... BAN...

JUSQU'À IL Y A UN PEU PLUS DE TROIS ANS, IL ÉTAIT INSPECTEUR DE LA PREMIÈRE BRIGADE D'ENQUÊTE.

TOUT COMME AKAGI.

POURTANT, ILS ÉTAIENT TRÈS DIFFÉRENTS.

AKAGI, QUANT À LUI, A TOUJOURS ÉTÉ UNE TÊTE BRÛLÉE, INCONTRÔLABLE, QUI AGISSAIT AVANT DE RÉFLÉCHIR.

KYŌSUKE ÉTAIT TRÈS THÉORIQUE, SCIENTIFIQUE. ON DISAIT DE LUI QU'UN JOUR IL SERA CERTAINEMENT CANDIDAT AU POSTE DE PRÉFET.

"C'EST UN FANTAISISTE MAIS BIZARREMENT, IL A QUELQUE CHOSE D'ATTIRANT".

KYŌSUKE LE DISAIT SOUVENT...

IL N'EN FAISAIT QU'À SA TÊTE, SE PERMETTAIT MÊME D'OUTREPASSER LES ORDRES DE SES SUPÉRIEURS MAIS VA SAVOIR COMMENT, IL PARVENAIT À RÉSOUDRE DES AFFAIRES INCROYABLES.

ILS AVAIENT UN RESPECT MUTUEL ÉVIDENT.

...

ILS NE MANQUAIENT PAS DE SE DISPUTER MAIS...

C'ÉTAIT UN GARÇON MYSTÉRIEUX.

IL AVAIT CHANGÉ DE SERVICE...

ATTENDS UN PEU : QUAND J'AI RENCONTRÉ AKAGI IL Y A DEUX ANS, IL ÉTAIT À LA DÉLINQUANCE DES MINEURS...

POUR CERTAINES RAISONS...

UN SIGNE DU DESTIN.

JE NE TE CACHE PAS MA SURPRISE LORSQUE JE T'AI ENTENDU PRONONCER LE NOM D'AKAGI LA PREMIÈRE FOIS.

LA CHANCE...

C'EST DIFFICILE À ACCEPTER MAIS...

...

J'AI COMPRIS ! TU T'ES FAIT PLAQUER, HEIN ?

BAH, C'ÉTAIT UN AMI DE TON EX-PETIT COPAIN, VOILÀ...

!

IL N'Y A RIEN À CACHER, NON ?

POURQUOI TU NE M'AS RIEN DIT ?

JE NE SAVAIS PAS TROP COMMENT T'EXPLIQUER TOUT ÇA.

POUR UN RENDEZ-VOUS À DEUX, TU N'AS PAS QUELQUE CHOSE D'UN PEU PLUS...

C'EST QUOI, CETTE TENUE ?

ON Y VA !

SI JE M'ATTEN-DAIS À CE QUE TU PROPOSES UN TRUC COMME ÇA...

スッ　シャ

CRE-TIN !

HEIN ?

TAP

...

JE ME SUIS CALQUÉE SUR TOI.

TAMASI♂R

TAP

AC-CRO-CHE-TOI BIEN !

PUIS-QUE C'EST COM-ME ÇA...

BON...

SHUU

LA VOITURE A ARRACHÉ LA RAMBARDE ET PLONGÉ DANS LA MER.

LE CORPS N'A MÊME PAS PU ÊTRE REMONTÉ.

...POUR CE QUE J'AI DIT TOUT À L'HEURE.

PAR-DON...

SHUU

SHIMA...

POUR-QUOI TU M'AS FAIT VENIR ICI ?

BEN ALORS ? ÇA NE TE RES-SEMBLE PAS DE DIRE ÇA !

FRAP

AÏE

LUI MONTRER ?

...

JE VOULAIS LUI MONTRER.

DIS DONC,
T'ES
VACHEMENT
MAQUILLÉE...

ET
ALORS ?
JE FAIS
CE QUE
JE VEUX,
NON ?

Vous aimez
" Psychometrer Eiji " ?

Ces pages sont les vôtres.

Vous voulez en parler ?

Ces pages sont encore les vôtres.

Vous avez réalisé des dessins et vous voudriez les partager avec d'autres ?

Ces pages sont toujours les vôtres !

Comme dans tous les autres
mangas de la collection Kana,
les lecteurs ont la parole.
Nous attendons vos lettres et vos
dessins avec impatience!

Deux adresses :

KANA,

15/27 rue Moussorgski,
75018 Paris – France

7 avenue Paul-Henri Spaak
1060 Bruxelles – Belgique

J'AIME BEAUCOUP SNOOPY...

Certains diront que la curiosité est un vilain défaut. Nous, nous serions plutôt tentés de penser que dans le vaste univers des mangas, elle est indispensable. Aussi avons-nous eu envie d'en savoir un peu plus sur les auteurs de "Eiji Psychometrer", manga très riche en références en tout genre et véritable guide sur la vie des jeunes Japonais de la fin des années 90. Voici donc une partie de ce que nous avons appelé en toute simplicité "le questionnaire de Kana". Après avoir donné la parole à Yûma Andô, scénariste de la série (dont vous pouvez retrouver l'interview complète sur le site www.mangakana.com), voici venu le tour de Masashi Asaki, l'homme qui tient le crayon.

1/ Pour commencer, pourriez-vous nous dire quand vous êtes né ?

Je suis né le 2 mars 1970.

2/ Pouvez-vous nous raconter comment votre carrière a débuté ?

On peut dire que le déclic s'est fait lorsque j'ai commencé à lire Doraemon.

*Doraemon :
Très célèbre personnage de manga éponyme créé par Fujiko Fujio.

3/ Quel était le titre de votre premier manga ?

Il s'appelait
"Daiju no moundo".

Daiju no moundo

4 / Après cela, vous avez commencé à travailler pour le "Shônen Magazine" ?

Oui.

5 / Avez-vous travaillé pour quelqu'un d'autre avant de le faire pour votre propre compte ?

Oui, pour Tsukasa Ooshima sur le manga Shoot !

6 / Pendant combien de temps ?

Environ 6 mois.

7 / Travailliez-vous comme assistant ?

Oui.

8 / Actuellement il est assez habituel de collaborer à la réalisation de BD avant de devenir professionnel. Cela a-t-il été votre cas ?

Non.

9 / On peut donc dire que vous avez appris à dessiner seul ?

Jusqu'à mes débuts en tant que professionnel, oui.

10 / Qu'est-ce que vous avez retenu de ces mois d'assistanat ?

Que même si l'on est dépassé, il faut toujours sauver les apparences pour que le processus créatif se déroule sans encombre.

11 / Vous pouvez nous raconter une anecdote concernant cette époque ?

Au début, il y avait tellement de choses que je

ne connaissais pas alors que le planning était très serré que je finissais par trouver ça amusant.

12/ Avez-vous appris quelque chose de la personne pour laquelle vous avez travaillé ou son style était-il trop différent du vôtre?

Finalement, je crois que c'est la capacité de maintenir un rythme de travail que j'ai su acquérir.

13/ C'est vous qui êtes allé trouver personnellement cette personne ou est-ce arrivé par hasard?

En fait, c'est mon éditeur qui m'a présenté.

14/ Et si on parlait de votre série? Comment est née cette histoire?

Le scénario était déjà prêt. Ensuite on a fait appel à moi.

15/ Certains personnages sont-ils réels? Vous, qui êtes-vous par exemple?

Non, aucun n'est censé être réel mais je pense que chacun des personnages emprunte différents traits de caractère de personnes existant dans la réalité.

16/ Quel est votre personnage préféré?

Eiji et Shima sont mes préférés.

17/ En travaillant avec les responsables d'édition, jusqu'à quel point vous êtes-vous senti libre?

Vous ont-ils limité d'une quelconque manière que ce soit?

Personnellement, je pense que pour ne pas que le manga devienne trop "personnel", l'avis de l'éditeur est nécessaire.

18/ Si dès le début vous aviez été libre de toute contrainte, quel genre d'histoire auriez-vous réalisé?

Les limites que je peux avoir sont celles posées par la difficulté d'exprimer en dessins la cruauté ou d'autres sentiments de ce genre. A ce niveau-là, je peux dire que ma marge de manœuvre est assez faible...

19/ Les histoires que vous avez réalisées avant celle-ci ont été publiées?

Oui.

20/ Vous êtes-vous basé sur votre expérience personnelle pour dessiner les scènes ou vous êtes-vous inspiré de documentation?

Eiji est un manga dans lequel la documentation est très importante.

21/ Recevez-vous des lettres de jeunes fans?

Oui.

22/ Quel est le portrait-robot d'un de vos lecteurs types?

Je pense que les lectrices adolescentes sont fortement majoritaires.

23/ "Psychometrer Eiji" a été publié dans un hebdomadaire au Japon. Comment organisiez-vous votre travail sur une semaine pour réaliser les planches?

Je me préoccupais surtout de rester en bonne santé. Pas toujours évident avec le rythme de travail que nous avions...

26/ Quel est votre rythme de travail? Combien de jours consacrez-vous au story-board et combien au dessin?

En moyenne, deux jours pour le e-conte (story-board) et cinq pour les dessins.

24/ Il vous restait un peu de temps?

Je devais faire en sorte qu'il m'en reste pour garder du cœur à l'ouvrage...

25/ Vous parveniez toujours à respecter les délais?

OUI!

27/ 2 jours pour le story-board et 5 pour le dessin, est-ce un rythme qui vous est propre ou bien pensez-vous que le dessin est plus important que le story-board?

Les deux phases sont très importantes.

29/ Combien d'assistants avez-vous?

Cinq.

30/ Quelle est leur tâche?

Ils travaillent sur les arrière-plans et les trames.

31/ Vous avez toujours eu les mêmes assistants?

Non. Parce qu'il est fréquent que les assistants fassent leurs débuts professionnels à leur tour.

32/ Pour engager des assistants, vous leur faisiez passer un examen?

J'ai une technique très simple : je leur demande de me montrer leurs dessins.

33/ Pourriez-vous nous parler d'un autre de vos mangas.

Je dessine en ce moment un manga qui se passe dans le milieu politique. (Kunimitsu no matsuri)

Kunimitsu no matsuri N° 3 et 4

34/ Apportez-vous des modifications pour la publication en manga par rapport à la publication en hebdo ?

S'il y a de grosses erreurs, oui, ça m'arrive.

36/ Travaillez-vous avec Internet ?

Oui, je m'en sers mais je n'ai pas de home page.

37/ Vous travaillez à d'autres histoires ?

Kunimitsu no matsuri.

38/ Vous pourriez nous en dire quelque chose ?

C'est l'histoire d'un jeune voyou qui entre dans le monde de la politique.

39/ De quels autres dessinateurs êtes-vous fan au Japon ou ailleurs ?

Ce n'est pas un mangaka mais j'adore Norman Rockwell. Sinon, j'aime beaucoup Snoopy. Quant aux dessinateurs japonais, la liste serait trop longue.

(A suivre...)

Questionnaire rédigé et traduit par l'équipe Kana à l'automne 2001.

CONCOURS

KanaXKana

L'année 2002 est riche en mangas, ce n'est plus un secret pour personne. Outre ses nombreuses nouvelles publications, Kana a décidé de vous en faire profiter davantage en organisant un nouveau jeu dans les pages des mangas de sa collection : Kana X Kana

Le principe est très simple : nous vous proposons de participer à une chasse au trésor. Pour KxK, nul besoin de faire appel à sa connaissance des mangas, inutile d'être un pro du dessin. Il suffit simplement d'être attentif et curieux.

Chaque mois, un mot et un seul sera caché dans un des mangas Kana fraîchement sortis en librairie. À vous de le trouver, de noter où vous l'avez trouvé (titre du manga, numéro du volume et de la page) et de nous le faire savoir par le biais d'une carte postale.

Douze chances au grattage

Pendant 12 mois, nous tirerons au sort chaque mois 5 gagnants qui gagneront des mangazines (magazines de mangas tels que Jump, Sunday et Magazine) et des mangas en version originale.

Une chance au tirage

En juin 2003, la chasse au trésor prendra fin. Les douze mots parus jusqu'alors formeront une phrase. Il suffira de noter cette phrase sur une carte postale et nous la faire parvenir avant le 30 juin 2003. 12 grands chasseurs seront alors tirés au sort et recevront chez eux un très beau cadeau. Art-books originaux japonais (Slam Dunk, Albator, Hunter X Hunter, Détective Conan entre autres) et précieux goodies (produits dérivés) en tout genre récompenseront les heureux gagnants de la chasse.

Juillet 2002 : Chasse n°2

**Ce mois de juillet voit la sortie en librairie
des titres suivants de la collection Kana :
Samurai Deeper Kyo 7 - Agharta 3
Psychometrer Eiji 7 - Albator 2
Hunter X Hunter 13 - Naruto 3**

**Kana X Kana : 12 mois, de juin 2002 à mai 2003 inclus.
Un tirage au sort chaque mois.
Un grand tirage au sort en juillet 2003.**

**Participation sur carte postale uniquement.
Une seule carte postale acceptée par personne
et par tirage au sort.**

Deux adresses :

**"Concours Kana X Kana"
15/27, rue Moussorgski, 75018 Paris - France
ou
7, avenue Paul-Henri Spaak 1060 Bruxelles - Belgique**

Bonne chasse à tous !

L'événement

À la cour de Versailles au 18e siècle, c'est la seule lady vêtue d'un costume militaire. Elle est habillée comme un garçon et personne n'oubliera jamais son nom !

En septembre 2002, l'Histoire entre dans la collection Shojo Kana grâce à "La Rose de Versailles" !

À ne pas manquer.

CAPITAINE ALBATOR

LE PIRATE DE L'ESPACE

Il y a une vingtaine d'années – déjà – un certain dessin animé japonais débarquait sur les écrans de télévision de France et de Navarre pour surfer sur le succès du mythique "Goldorak" et de l'espiègle "Candy". Un bandeau sur l'œil, une cape noire, un fidèle équipage, juste et incorruptible, "Albator, le corsaire de l'espace" entamait sa carrière francophone et allait marquer la mémoire de millions d'enfants.

Le voilà, il revient... Albator !

Albator, le pirate de l'espace - Sortie prévue : mai 2002
Sens de lecture original - Format : 175mm x 115mm

EIJI

© DARGAUD BENELUX (DARGAUD-LOMBARD s.a.) 2002
7, avenue P-H Spaak - 1060 Bruxelles

© 1996 Masashi Asaki & Yuma Ando
All rights reserved
First published in Japan in 1996 by Kodansha Ltd., Tokyo
French publication rights arranged through Kodansha Ltd.

Tous droits de traduction, de reproduction et d'adaptation strictement réservés
pour la France, la Belgique, la Suisse, le Luxembourg et le Québec.

Dépôt légal d/2002/0086/282
ISBN 2-87129-431-3

Conception graphique : Les Travaux d'Hercule
Traduit et adapté en français par Thibaud Desbief
Adaptation graphique : Eric Montésinos

Imprimé en Italie par G. Canale & C. S.p.A. - Borgaro T.se (Torino)